KB104013

# 망각의 온도

망각의 온도

**발 행** | 2024년 1월 12일
**저 자** | 김76
**펴낸이** | 한건희
**펴낸곳** | 주식회사 부크크
**출판사등록** | 2014.07.15.(제2014-16호)
**주 소** | 서울특별시 금천구 가산디지털1로 119 SK트윈타워 A동 305호
**전 화** | 1670-8316
**이메일** | info@bookk.co.kr
**편 집** | 김주희

ISBN | 979-11-410-6651-2

www.bookk.co.kr

# 망각의 온도

김76 지음

"옷장에 예전에 사둔 검은 원피스 있지?"

"응."

"그거.. 입고 와"

"응? 어디가는데?"

"..장례식장"

학교를 갔다오고 나니 검은 원피스를 입으라는 아빠의 무거운 한 마디. 그건 누군가가 세상을 떠났다는 말이다. 왠지 모르게 당연히 아주 먼 친척이 돌아갔을 것이라 생각했다. 아빠의 표정은 아주 슬퍼보였다. 나는 더 이상 묻지 않고 검은 원피스를 입고 나왔다. 설마 아빠와 가까운 사람이 돌아가신 걸까?

"밖에 이모 있으니까 먼저 나가있어"

아빠의 말에 고개를 끄덕이고선 검은색 단정한 원피스로 갈아입은 뒤 신발은 늘 신던 운동화를 신었다. 그리고 현관문 자동 센서 불이 꺼져 어두운 집을 뒤로 하고선 밖을 나섰다.

1층으로 내려가니 이모가 나를 향해 웃으며 조용하게 반겼다. 늘 밝던 이모도 오늘따라 조용했다. 설마 할머니가 돌아가신 걸까 하며 불안감이 엄습해왔다. 아빠가 내려오고나서 이모 차에 올라탔다. 이모와 아빠. 셋이 같이 있던 적이 없어 내겐 이 상황은 어색하기만 했다. 적막한 상황이 불편해 에어팟을 꺼내 들었다. 앱에서 내가 가장 좋아하는 바이올린 연주곡을 틀었다. 익숙한 바이올린 소리가 들리자 한결 마음이 편안해졌다.

두시간 정도를 향했을까. 어둡게 빛나는 간판이 오늘따라 눈에 띄었다. 간판에는 장례식장 이라고 죽음이 적혀 있었다.

아빠도 그것을 본 것인지 숨소리가 커지는 것이 느껴졌다. 주차장에 주차 하고선 아빠는 장례식장에 들어서기 전 흡연실로 향했다. 살짝씩 불어오는 바람에는 쓴 담배향이 섞여졌다. 나는 장례식장을 먼저 들어가서려 했는데 이모가 나를 불러세웠다.

"그..오빠가, 아니 아빠한테 누가 돌아가셨는지 들었어?"

"아빠 표정이 너무 슬퍼보여서 안 물어봤는데"

머뭇거리는 이모의 모습을 보자니 왠지 이모의 말을 듣고 싶지 않아졌다. 한참을 머뭇거리곤 말을 꺼내들었다.

"엄마가 많이 졸리셨나봐.."

순간이었다. 찰나의 순간에 파도가 들이닥친 것처럼 불안감이 한껏 엄습해왔다. 식은땀이 점점 흐르고 심장이 미친듯이 뛰기 시작했다. 울고 싶어질 정도로.

"이모... 엄마는?"

이모은 아무말을 하지 않더니 들어가자는 말만 반복했다.

코가 시큰거렸다. 평소에 장난이 많던 이모니까 그저 장난하는 것이라 생각하며 장례식장으로 뛰쳐 들어갔다. 그리고 가장 먼저 눈에 띈 것은, 엄마가 환하게 웃고 있는 영정사진이었다.

"엄마..?"

그 사진이 왜 엄마의 얼굴이 있는지 모르겠다. 그곳에 절대 있어선 안 될 사진일텐데.

***

엄마는 며칠 전 회사일로 출장을 떠났다. 가기 하루 전 입시 문제로 엄마와 한바탕 싸웠었다. 나는 며칠 동안 고민하고 엄마에게 용기내 예고입시를 포기하고 싶다고 했고, 엄마는 그런 내게 화를 냈었다. 어쩌면 내 몸에 새겨진 상처와 최근의 행동을 보고 그런거겠지. 당시에 엄마와 싸우면서 욱해져서 모두가 사라져 버렸으면 좋겠다고, 나는 너무 죽고 싶다며 내뱉으면 안될말들을 쉽게 뱉어 엄마의 가슴에 못을 박았다. 그래서 엄마가 돌아오면 사과하려고 했는데 왜 이런곳에 있을까. 쉽게 내뱉은 저주같은 말들이 내 목을 옥죄어왔다. 내가 한 말을 신이 들었나봐 그래서 신이 데리고 간 건가봐. 누군가의 인생을 망쳐가면서까지.

근데 신은 왜 간절한 소원이 아닌 무심코 뱉은 말을 들어준걸까? 아빠도 울고 이모도 울고 있었다. 특히나 감정이라곤 없을거라 생각했던  아빠가 울고 있었다. 그런 모습은 처음이었다. 친할머니가 돌아가실 때 조차 울지 않았던 아빠였는데. 그러고보니 엄마는 아빠랑도 싸웠네. 엄마는 싸우고 나면 며칠동안 토라져 있잖아. 이번에는 아빠랑 나랑 둘다 동시에 싸워서. 그래서  혼자 토라져서 아예 떠나버린거야?

이상하지. 모두가 울고 있는 가운데 나 혼자만이 눈물이 울고 있지 않아. 장례식장에서 들어서기 전까지만 해도 목구멍에서 눈물이 차오르는 기분이었는데. 막상 들어오니 현실성이 너무 없어서 눈물샘이 사라진 기분이야. 그나저나 엄마는 사람들에게 정말 좋은 사람이였나보다. 무지하게 많은 사람들이 엄마의 사진을 향해 절을 해주며 애도를 표하고 있어. 근데 나 왜 이렇게 기분이 묘하지.

그  냥 내 머 릿속이 망가 진 기 분 이야.

***

3일 동안 엄마의 장례식을 치루고 집으로 향하는 길이였다.

창 밖엔 나무들이 일제히 애니메이션처럼 움직이고 있었다.

엄마가 돌아가셨다는 사실이 판타지 소설처럼 비현실적 같았다. 당장이라도 집에 돌아가면 출장을 갔다온 엄마가 쇼파에 누워있고 난 사과하고 있을 것만 같았다. 심한 말 해서 죄송하다고. 엄마가 돌아가시지 않은 상황을 생각 하며 멍 때리던 도중 이모가 무거운 한숨을 내쉬곤 내게 말했다.

"아빠 많이 힘드니까 너가 잘 챙겨드려라"

"…알았어"

말 끝으로 앞에는 조수석에 앉은 아빠의 뒷모습이 보였다. 아빠에게 알콜의 냄새와 담배 향이 풍겨져 더욱 씁쓸해 보였다. 평소에 넓어보이던 아빠의 어깨가 오늘따라 작아보였다. 희미하게 들썩 거리는 어깨에 많은 말들이 담겨있는 것 같았다.

무슨 말을 해도 아빠에게 위로가 되지 않을 것을 알았기에 더욱 아무 말도 할 수가 없었다. 말 없이 에어팟을 꼈다. 내가 좋아하는 바이올린 연주곡이 울려퍼졌다. 한참을 달리고 나니 에어팟을 꽂은 귀가 점점 아파왔다. 직접 연결하여 만든 바이올린 2시간곡. 휴대폰을 확인하니 연주곡은 1시간 가까이 연주하고 있었다. 욱씬대는 에어팟을 빼고나니 아빠와 이모이 대화하는 말소리가 들려왔다.

"신기하게 잰 눈 한번 깜빡이질 않네."
"오빠가 많이 우니까 그런거겠지
"그래도 지 엄마한테 그런 말 했는데도 미안하지 않나"

아빠의 말을 들으니 죄책감이 또 다시 기어 올라왔다. 엄마에게 미안했다. 너무 미안해서, 죄책감으로 눈물 조차 뻔뻔하다고 생각했는데.. 그랬는데..

"재가 한 말 때문에 수지가 죽은거야.."
"아유 쓸데없는 소리 하지 말고 그냥 눈 좀 붙어라."

아빠가 무심코 내뱉은 말이 소름끼칠 정도로 나를 죽이는 기분이 었다. 더이상 그 대화를 엿듣고 싶지 않았다. 장시간 동안 꼈던 에어팟 때문에 외이도가 눌리는 것 같았지만 다시 에어팟를 힘껏 누르며 귀에 끼웠다. 그러고선 에어팟의 볼륨 소리도 최대로 올렸다. 더 이상 대화는 일절도 들리지 않았고 바이올린 멜로디만이 찌렁하게 귓 속에서 울려퍼졌다.

그토록 좋아했던 바이올린 연주곡이 오늘따라 마치 비극의 연주 같았다.

집에 도착하고 나니 애써 참아왔던 피곤함이 몰려왔다. 엄마는 목이 터져라 울다가 결국 잠들었고 친척들은 술을 먹고 취한지 오래라 나혼자 상주를 섰었다. 피곤한 몸을 이끌고 침대에 누워 평행으로 이어져 있는 책상을 바라봤다. 어두운 책상 사이 유독 눈에 띄는 것이 있었다. 표지가 화려하게 꾸며진 사진첩이었다. 아빠가 돌아오시기 전 오랜만에 열어봤었는데 그대로 펼쳐져 있었다. 나는 본능적으로 이끌리듯 침대에서 일어나 사진첩을 쳐다봤다. 첫 장은 어색하게 웃으며 손가락으로 브이를 하고 있는 아빠의 모습이 보 였다. 뒷 장으로 넘길 수록 제법 능숙해진 아빠가 손하트를 하는 사진이었다. 사진을 하나씩

넘겨볼 수록 머릿속이 점점 하얘지는 기분이었다.

마치 지우개로 감정을 지운 느낌이었다. 그대로 차라리 이게 낫다고 생각했다. 엄마처럼 감정이 선명하면 너무 괴로울 것 같으니까.

하지만 나는 너무 비정상적으로 무감각 해졌음을 금세 알아챘 다. 엄마에 대한 추억을 떠올려도 마치 몇 년 전 일처럼 느껴졌 다.

있잖아 난 아직도 엄마가 왜 죽었는지 모르겠다.

***

엄마가 돌아가시고 2주가 지났다. 그 짧으면 짧고 길면 길었던  시간에 우리 집안에 많은 일이 있었다. 아빠는 하루가 멀다하고 독한 술을 먹는다. 내 생일을 잊게 하던 회사도 퇴사했다. 그런 아빠가 불쌍해 보였지만 영정사진을 쳐다보고있는 아빠에게 무슨 말을 할 수 있는 것은 아니었다. 아직은 회사를 퇴사하면서 받았던 퇴직금과 그간 모아둔 돈으로 살고 있지만 이대로라면 몇년만에 지하방에서 지내고 말 것이다. 근심으로 가득한 하루를 보내던 날들 중 아빠가 며칠동안 무언가를 알아보나 했더니 엄마가 어릴 적 지내던 별장에서 지내기로 한 모양이었다. 결정을 내린 후 몇주가 지나고 이삿짐 센터가 왔다. 이사 가는데 까지 오랜 시간이 걸리진 않았다. 짐이 파란 상자에 담겨졌을때 아빠는 내 어깨를 잡고서 말했다.

"우리는 이제 엄마가 살던 곳으로 내려가서 새로운 삶을 사는거야. 알았지?"

"..응"

내 의견은 없는 듯 했다. 무슨 말이라도 꺼내고 싶었지만 한껏 팅팅 부은 눈동자 속엔 제발 아무 말도 하지 말아 달라는 것 같아서, 어떤 말도 할 수가 없었다. 나는 아직 이곳과 이별할 준비 조차 되지 않았는데.

집을 나서기 전 마지막으로 집 안을 천천히 둘러보았다. 우리 집이 풍족한 편은 아니었지만 온기들로 가득한 집이었는데. 엄마가 없어지자마자 그 온기들이 다 사라져버린 것 을 보니 우리집의 온기는 엄마였나보다.

허무함을 뒤로 한 채 현관문을 닫았다. 트럭을 타고 가면서 많은 생각이 들었다.

엄마는 왜 떠나야만 했을까?

왜 마지막으로 한 말이 그거여만 했을까?

엄마는 내 탓을 했을까?

의문형으로 남은 생각들이었다. 깜박 존 사이에 익숙한 별장이 보이기 시작했다. 내가 가장 좋아하는 장소 중 하나. 엄마가 어릴때부터 지내던 집으로 지금은 별장으로 쓰이는 곳이다. 가장 좋아하던 공간이라 할머니가 돌아가실때 물려주셨다. 별장의 주변은 푸른 바다가 있고 집 앞에는 잔디밭이 있었다. 안에는 2층으로 되어있고 그 중 2층의 다락방은 엄마의 방이였다. 조심스레 다락방을 향하는 계단을 올라섰다. 겉과는 다르게 나무로 되어있고 책상 하나와 장롱 하나와 침대가 전부였다. 거미줄이 군데군데 쳐져 있었지만 어딘가 모르게 가득차 보였다. 엄마 답기도 했다. 다락방을 천천히 감상하고서 1층으로 내려가니 아빠는 짐 정리를 하고 있었다. 몇시간을 거쳐 짐정리를 끝내고 나니 저녁이 됐다. 아빠는 움직이고 나니 조금이나마 생기를 되찾은 듯 했다.

***

방정리를 하면서 발견해두었던 일기장을 펼쳤다. 아마도 엄마가 쓴 일기장이겠지? 첫 장에는 삐둘삐둘한 글씨체로 하루일과가 적혀있었다. 초등학생이 쓴 듯한 글씨체.

**** 7월 7일 ****

오늘은 아빠랑 싸웠다. 아빠가 밉다.

푸름이랑 놀고 싶다.

푸름이? 푸름이가 누구지? 듣기로는 키우는 반려견도 없다 했는데. 의아하다는 생각을 가지고 다음 페이지를 넘겼다.

**** 7월 12일 ****

아빠가 나를 때렸다. 처음으로 느낀 고통이였다.

너무너무 아파서 뛰쳐나왔다. 푸름이가 괜찮다고 해주었다.

푸름이와 함께면 어디든 갈 수 있을 것만 같았다. 푸름이 짱!

계속해서 페이지를 넘겨도 푸름이라는 이름이 적혀있었다. 일기장을 이용해 알 수 있는 건 푸름이라는 존재는 바다에 사는 것. 아빠가 가장 좋아했었던 존재.

그리고 인간이 아닌 것.

**** 8월 23일 ****

오늘은 푸름이와 함께 일본을 갔다. 엄마한테 듣기로는 아주 먼곳이라고 했는대 푸름이와 함께 하니 30분 밖에 걸리지 않았다. 다음애는 미국을 데려다준다고 했다.

**** 9월 1일 ****

푸름이가 곧 있으면 우리가 해어져야 한다고 했다.

나는 푸름이와 함께 하고 싶은대. 너무 슬프다. 엄마애게 말해서 푸름이와 함께 살 수 없는 걸까?

내용들이 지나치게 비현실적이었다. 차라리 엄마가 어릴 때라 환각을 본 듯했다. 일기장 내용이 그만큼 비현실적으로 쓰여 있었기 때문이다. 일본을 30분 만에 갔다느니 하늘을 날았다니. 전부 허무맹랑하잖아. 어린 아이가 쓴 것 치곤 자세하게 쓰여 나도 믿을뻔 했지만 전부 어린 아이들이 하고 싶은 것들이었다. 엄마도 참 애였구나. 내용만큼은 재미있었다. 나머지는 읽지 말고 나중에 읽어야지 하며 침대에 누웠다. 그 날 밤은

유독 잠이 오지 않았다. 엄마가 내 방에 들어와 이따끔 안아주며 잘자라며 해줄 것 같아. 계속해서 뒤척이다가 엄마 얼굴이 흐릿해지며 잠에 들었다.

그날 밤 꿈에선 엄마가 나왔다. 아무것도 없이 오로지 엄마와 나만이 마주 보고 있었다. 위에는 구름은 한점 없이 바다 같은 하늘이 떠 있었고, 아래에는 잔해들 속 물고기들이 헤엄치며 돌아다니고 있었다. 조금 이상한 점이라면 엄마의 옆에 누군가가 있다는 것이다. 형태를 보니 아빠는 아니었다. 제일 수상한 것은 그것이 흐릿하게 보인다는 것이다. 엄마 옆에 있는데도 아주 멀리 있는 것 처럼 흐릿하게 보였다.

" 엄마?"

엄마는 한참 동안 나를 보고선 말없이 돌아섰다. 할 말이 많아보였지만 참는 듯했다. 하지만 나 역시 하고 싶은 말이 많았다. 목구멍 속 차오르던 말들이 쏟아져 나왔다.

"엄마..!!! 가지마!!!!"

가지말라고 외쳐댔지만 엄마는 오히려 힘을 주며 꿋꿋이 계속 걸어나갔다. 엄마를 잡길 포기하고 하고 싶은 말을 외쳐댔다.

“내가.. 심한 말 해서 미안해! 진심은 그게 아니였어!!“

장례식장에서도, 장례식을 치루고 난 후에도, 일기장을 봤을때도, 하다못해 아빠가 취해서 내게 독설을 날릴때도 나오지 않았던 울음이 이제서야 터지고 말았다. 엄마가 돌아가신 날 이후로 계속해서 많은 생각을 했다. 그럴때 마다 마지막으로 떠오른 생각. 엄마가 날 버린게 아닐까? 애써 잊어보려 해도 떨쳐낼 수 없었다.

”날.. 버린거야?“

울음을 터트리자 엄마는 걸음이 멈추고서 나를 쳐다보았다. 엄마의 표정이 보이지 않았다. 내게 다가온 것은 엄마가 아닌 옆에 있던 흐릿한 그 존재였다. 그것이 천천히 내게 헤엄치듯이 다가왔다. 강아지 같기도 하고 돌고래 같기도 하고 거북이 같기도 했던 것이 어느새 내 앞으로 다가왔을땐 사람의 형태를 지녔다. 다가오는 듯하더니 말 없이 나를 껴안아 주었다. 살짝 밀어내 얼굴을 확인하려던 찰나에 잠에서 깨버리고 말았다. 그래도 깨닮은 것은 엄마 옆에 있었던 그 존재가 푸름이이라는 것이다. 푸름이는 정말 존재하는 걸까? 그렇다면 어디에 있는 걸까? 생각을 계속 해보고 나선 눈에 무언가 흐르는 듯했다. 그것이 눈물인 것은 금방 알 수 있었다. 그러고 보니 바닷물에 오래 있다 온 것 처럼 숨이 찼었다. 엄마를 꿈 속에서 보고나면 한결 나을거라 생각했는데 더 우울증에 걸릴 것 같았다.

***

엄마의 일기장을 다시끔 훑어보았다.

나는 이 별장에서 엄마의 흔적을 찾을 것이다.

**** 6월 28일 ****

오늘 엄마 아빠 싸웠다. 외로워. 무서워.
집 압에 바닷가에 놀러 갓다. 파란 동그라미가 나를
놀아줬다.

**** 7월 2일 ****

오느른 동그라미가 파래서 푸름이라고 지어주엇다. 푸름이가 내게 친구를 해주엇다. 기뻣다.

푸름이는 앞쪽에 있는 바닷가 동굴에서 처음 만났고 어떤 이유로 인해 이별을 했지만 성인이 되고 나서도 종종 만난다는 것. 성인이 되고난 후의 일기장 중에서는 혹시나 자신이 불가피한 사고로 죽게 된다면 그 소식은 꼭 자신의 자녀가 푸름이에게 전해줬으면 한다는 내용이 적혀었다. 엄마의 유언대로 푸름이에게 엄마의 부고소식을 알리기로 했다. 어째서인지 찝찝한 이 기분이 곧 해결될 것만 같은 기분이 들었다. 나는 옷을 챙기고 곧장 주변 바닷가를 향했다.

바닷가까지 40분이 걸렸다. 갈 수록 눈에 띄게 인적이 줄어들었다. 내가 머물고 있는 이 시골은 아름다운 경관을 가졌지만 이상하리만큼 관광객들이 없었다. 그렇다고 해서 홍보에 대충인 것도 아니었다. 아빠에게 듣기로는 이 동네를 아무리 홍보하려고 애를 써도 금세 묻혀지고 말았다고 한다. 바닷가에 도착하고 주변을 살폈다. 바닷가 끝쪽에 작은 동굴이 보였다. 입구는 조개들의 빛반사로 반짝거리고 있었다. 바닷속도 아래에 무엇이 있는지 알 수 있을 정도로 얕았다. 나는 입고 있던 츄리닝바지를 허벅지까지 올려맸다. 한 편으로는 떨리기도 하고 두렵기도 했다. 입구에서 바라본 동굴 속은  일절의 빛도 없이 캄캄해 앞에 무엇이 있는지 알 수가 없었다. 동굴에 들어갈수록 어두우면서도 막상 은은히 빛나고 있었다. 반딧불은 제각각 초록빛을 내며 마치 길 안내 해주는 것 같았다. 계속 걸으니 멀지 않은 곳에서 바다가 철썩이는 소리가 들려왔다. 슬슬 다리가 아파올때쯤 맨홀에 쏙 빠지는 기분이 들었다.

[첨벙.]

너무나 순식간에 일어난 일이라 놀랄 시간 조차 없이 맨홀에 빠지듯이 바닷속의 구멍에 빠져버렸다. 계속해서 아래로 침식하고 있었다. 숨이 막혀 물이 코로 들어와 모든 장기들로 빈틈없이 차는 기분이었다. 죽는걸까? 이렇게 예상하지도 못하고? 숨 막히는 고통에 몸부림을 쳤다.  점점 몸에 힘이 빠지는것이 느껴졌다. 순간 엄마 곁으로 간다는 생각에 조금은 편안해져왔다. 나는 아무것도 보이지 않는 암흑 속 서서히 홀로 죽어가고 있었다. 무언가가 나를 이끌어주는 기분이 들었다.

"콜록..!"

정신을 잃었을땐 죽었나 생각했는데 눈을 떠보니 다름 아닌 동굴 입구였다. 눈 앞에는 순수 물로 이루어진 작은 아이가 보였다. 아이는 홀로 동굴 속으로 다시 들어서려고 하고 있었다.

직감적으로 저 아이가 푸름이라는 생각이 들었다. 이대로 저 아이가 동굴 속으로 들어가면 다신 못 볼 것 같은 느낌이 들었다. 기회는 지금 뿐 인데..! 계속해서 아이를 부르는데도 무시하며 계속 동굴 속으로 들어섰다. 무슨 방법을 써서라도 저 아이가 푸름이가 맞는지 확인을 해야하는데..!

”푸름아..!“

무슨 말을 해도 계속 무시하던 그것은 푸름이라는 이름을 부르자 뒤돌았다. 어째서인지 그 표정은 화가 난 것 같기도 하고 기쁘기도 해보였다.

”저는.. 윤지수씨의 딸이예요..! 당신에게 말할 것이 있어 찾아왔어요.“

그제야 푸름이가 나를 쳐다보며 다가오기 시작했다. 계속해서 한발씩 다가온 푸름이가 어둠속에서 나와 햇빛을 마주 하고 나니 모습이 더욱 선명히 보였다. 어두워서 미쳐 보지 못했던 푸름이의 몸이 물로 빛나고 있었다. 햇빛이 푸름이의 몸을 관통해 일제히 일렁이기 시작했다. 바닷속의 보물이 있다면 그것은 푸름이가 아닐까 하는 생각이 들 정도로 아름다웠다. 눈동자는 애메랄드를 박아놓은 것 같은 초록빛으로 빛났고 아주 찰랑이는 긴 머리를 지니고 있어 물이 떨어지는 것이 느껴졌다.

나도 모르게 푸름이를 넋놓아 쳐다보게 되었다.

"나를 어떻게 찾아왔지?"

여성적인 외관을 지닌 푸름이는 중성적인 목소리로 말을 지니고 있었다. 걸걸하면서도 부드러운 목소리였다. 푸름이의 모습 하나하나 나도 모르게 감상하였다. 푸름이도 그것을 느꼈는지 불쾌한 티를 내며 거칠게 나왔다.

"두번 말하게 하지 않는게 좋을 것이다."

"엄마의 일기장을 보았는데 당신의 이름이 쓰여있었어요."

"10년 전 지수에게 딸이 있다곤 들었으나 그게 너였구나.."

"하하..안 닮긴 했죠?"
"오해마라. 단지 나의 눈이 보이지 않는 것 뿐이야."
"그게 무슨...?"

저렇게 독보적으로 빛나는 에매랄드 같은 눈빛이 앞을 보지 못한다는 이야기에 안타까웠다. 그럼에도 불구하고 저 눈빛이 나를 향해 쳐다보고 있는 것만 같았기에. 푸름이는 조금 머뭇거리더니 말을 꺼내들었다.

"혹시.. 지수에게 무슨 일이 생긴 것은 아니겠지."

"..."

푸름이는 아무런 말 없이 바닥만 쳐다보고 있었다. 순간 푸름이의 눈이 남겨진 사람처럼 씁쓸하고 슬퍼보였다.

"아빠가 엄마가 돌아가신 뒤 많이 힘들어해서 엄마가 어릴 적에 살던 집으로 내려왔어요. 그리고 엄마의 일기장에서 당신의 이야기가 쓰여있는 것을 발견했어요."

어쩌면 이 사람에게 엄마의 이야기를 들을 수 있지 않을까 생각했다. 아니, 들어야 할 이야기가 기필코 있다. 엄마의 일기장 마지막에는 그렇게 쓰여있었으니까. 나는 푸름이에게 들어야 할 말이 있다.

"그렇다면 너는 지수의 죽음을 알리기 위해 이곳까지 와서 죽을 뻔 한 것이냐."

"아뇨, 당신에게 물어보고 싶은 것이 있어서 왔어요

"돌아가라."

"네..?"

"이 곳은 인간이 있을 곳이 아니야. 지수는 특이한 체질이라 견뎌낼 수 있었지만 너는 아니야. 지금 몸이 견디지를 못하고 있다."

말의 의미를 이해하는데 까지는 별로 길지 않았다. 푸름이의 말 끝으로 숨이 점점 가빠져 오고 울렁거리기 시작하고 있다는 것을 깨달았다. 아무래도 그런 것들은 내게 중요하지 않았다. 엄마. 엄마의 이야기가 듣고 싶었다. 내가 모르던 엄마의 모습.

푸름이는 어떻게든 버티려는 내 모습을 보며 제 어미와 똑같다며 한숨을 내쉬었다. 어쩔 수가 없었다. 엄마에게 어떻게든 마지막 작별인사를 제대로 하고 싶으니까. 꿈 속 이여도 좋으니 한번이라도 마주하고 싶어. 엄마. 내가 꼭 해야할 말이 있단 말이야.

푸름이는 가만히 나를 쳐다보았다. 정말 살아있는 눈동자 같았다.

"너, 수지가 아끼던 물건을 가지고 있냐?"

"ㅂ바ㅇ이ㄹ올린.."

말하는 것 조차도 숨 차고 있었다. 누군가가 폐위에 돌맹이에 올려둔 것 같았다. 코가 야려오고 마약한 것 같이 머리가 팽팽 돌았다. 이 기분은 마치.. 아까 바닷가에 침수 당하고 있었을때와 느낌이 흡사 유사했다. 왜 이렇게 숨이 막히는지 모르겠다. 시간이 지날수록 생각하는 것 마저도 버거워지고 있었다.

"시각적으로 바닷가 밖에 나와있는 것 같아도 내가 너와 함께 있으면 밖에 있어도 바닷가 속에 있는거다. 당장 나가지 않으면 죽는다."

머릿속으로는 당장 이곳을 벗어나야 한다고 말하고 있지만 마음속으로는 그러고 싶지 않았다. 차라리 몸이 망가져도 푸름이와 좀 더 엄마에 대해 이야기를 더 나누고 싶었다.

"4일 뒤 보름달이 뜬다. 그때 바이올린을 들고 와라. 그러면 만나줄테니 오늘은 이만 돌아가라"

푸름이의 말이 끝나자마자 무섭게 정신이 들었다. 이번에는 정말 현실 속으로 돌아온 것 같았다. 숨이 미친 듯이 헐떡대고 입 속에선 물이 나와 계속해서 토를 해댔다. 나는 입가를 닦으며 아까 나왔었던 그 동굴을 쳐다보았다.

"4일.."

***

집으로 돌아오니 아빠가 쇼파에서 자고 있었다. 나오기 전에는 안방에 있었는데 쇼파에 있는 것을 보니 나를 기다리고 있었던 거 겠지. 아빠가 열어두었던 창문들을 닫아두고 여름용 이불을 꺼내들어 덮어주었다. 방으로 들어와 젖은 옷을 갈아입고서 머리를 말렸다. 아까 있었던 일들이 모두 꿈이 아닐까 라는 생각도 해보았지만 다리에 남겨진 상처가 너무나 생생한 고통으로 남겨져있었다. 그리고 최근 들어 꺼내지 않았던 바이올린. 그 바이올린을 오늘에서야 꺼내보았다. 몇 달 전 보관해두었던 깨끗한 그 상태 그대로 있었다. 바이올린을 왜 접었더라.

"그래. 바이올린을 그만 두었던 이유가 있었지."

다시는 기억하고 싶지 않은 그런 이유.

내게 있어 바이올린이라는 존재는 행복 그 자체였다.

행복의 이유. 바이올린이 있어서 행복했고 바이올린을

킬 수 있어 행복했다. 초등학생 시절 당시 엄마는 연주가로써 바이올린 활동을 하고 다녔다. 그런 엄마를 따라다니면서 나 역시 자연스럽게 바이올린을 접근 하게 되었다. 그 중 누군가가 내게 바이올린에 엄청난 재능이 있다며 한번 시작해보는 것이 어떠냐며 얘기를 했다. 바이올린을 키는 엄마가 멋있었던 나는 그렇게 바이올린을 시작하게 되었다.

초등학생때부터 줄곧 계속 연주만 하던 나는 중학생 2학년이 끝나가던 시절에 슬럼프가 오고 말았었다. 음악하는 사람이라면 슬럼프 정도는 겪어야 한다 생각하였다. 그래서 이 고난 따위 금방 이겨낼거라 믿었다. 그리고 그것들은 모두 나의 오만이었다. 바이올린을 키는 시간이 줄어드니 자연스레 친구들과 노는 것이 더 좋아지고 나날이 어려워지는 바이올린에 흥미를 잃어가고 있었다. 그래서 일주일에 한번도 빠지지 않았던 바이올린 연습이 일주일에 두 세 번씩 늘어나곤 했다. 아빠는 그런 나를 못마땅 하였고 엄마는 금세 흥미를 찾을거라며 감이라도 잃지 않게 연습만은 자주 하라고 하였다. 바이올린을 너무 사랑했던 탓일까. 그때의 난 어리석게도 바이올린 보다 친구가 훨씬 좋다는 생각을 했다.

나는 친구를 너무 믿었다.

내 친구 연이에게 모든 비밀을 말했다. 너무 당연하게 연이가 말하지 않을거라 생각했던 내 탓일까. 아니면 사람을 지나치게 믿은 내 탓일까. 어느 순간 연이는 내 비밀들을 과장하여 말하고 다니곤 했다. 소문은 어느새 큰 눈덩이처럼 커져버려 어느새 나에게도 너무나 잘 보이는 눈덩이가 되어버린 것이다. 그로 인해 한동안 뒤에서 이렇게 불렸다.

'남자에 미쳐버린 바이올린 연주가'

이런 별명을 얻게 되는데에는 사건 하나가 있었다. 선생님의 부탁으로 학교 축제에 바이올린 연주를 하게 되었다. 그리고 반주자는 어릴때부터 함께 음악을 해온 소꿉친구에게 부탁을 했다. 고맙게도 같이 해주겠다고 했고 우리는 점심시간마다 음악실에서 축제 연습을 했었다. 하지만 어느순간 연이와 멀어지는 것이 느껴졌다. 오늘 밤 연이와 대화를 해야겠다 생각 했다. 그 이야기를 듣기 전까지만 해도. 레슨을 받으면서 친구에게 들은 것. 연이가 소꿉친구를 좋아한다고 내게 말했는데 내가 그런 연이에게 소꿉친구를 이어주겠다 약속을 했다고. 그래놓고 축제연습을 빌미로 삼아 늘 붙어다닌다며. 이야기를 하고 다닌다고 했다. 발이 넓은 연이의 말들은 정말 순식간에 퍼져나갔다. 주변 친구들은 웃으며 나의 인사를 받아주곤 했지만 연이와 함께 논다 싶으면 나를 피해 다니기 시작했다. 소꿉친구마저 나를 피하게 되었다. 나를 피하니 연습은 못하니 당연히 축제는 하지 못하게 되었다. 연이와 대화를 하려 해도 나를 피하니 아무것도 할 수가 없었다. 늘 누군가와 함께 하다가 다시 홀로로 지내는 생활은 쓰라리게 외로웠다. 혼자서 길을 걸어가면 모두가 나를 보며 속닥거리는 기분이었다. 유일하게 남아주었던 친구 마저도 지쳐버리게 되고 나는 고립되는 것이다.

처음 몇 달 동안은 내가 지내던 동네를 제외한 어디로든지 떠나고 싶었다. 떠나면 다시 새시작을 할 수 있을 것만 같았다. 하지만 시간이 점점 지나게 되면 한국을 떠도 여전히 내 문제로 소문이 엮일 것만 같은 기분이 들게 된다. 중학교 졸업 몇 개월을 남기고선 아무것도 하지 않고 집에서 가만히 바이올린을 연주하기만 했다. 어느순간부터 바이올린을 키는 소리가 귀를 찌르는 듯한 연주처럼 들려왔다. 미친 듯이 계속 연습을 하고 쉴새 없이 바이올린을 켜도 청아하게 나면서도 우아했던 그 소리가 들리지 않게 된 것이다. 그래서 중학교를 졸업할때쯤 입시를 포기하고 싶다고 한 것이었다. 설마 그것으로 엄마와 싸우게 되어 마지막이 될거라 상상조차 하지 못했다. 별장에 도착한  후 다시 바이올린을 꺼내보았다.

어쩌면 지금은 조금 다르지 않을까? 기대를 살짝 하여 이번에도 켜보았지만 절망의 소리가 새어나왔다. 다른 사람들의 연주곡을 들으면 그렇게 행복한데 어째서 내가 키면 불행한지 모르겠다. 내 손에 문제가 있는 걸까. 그렇게 4일이 지나기를 기다렸다. 바이올린을 계속해서 키기도 했다. 활을 잡고 움직일때마다 손이 떨렸다. 너무 오랫동안 놓고 있었어. 너무 오랫동안.. 그런 나날을 보내면서 4일이 겨우 지나갔다. 4일이 되던 당일날 저녁에 바이올린 가방에 바이올린을 챙겨 들고 가볍게 반팔과 반바지를 입었다. 그리고 쪼리 슬리퍼를 신고 밖을 나섰다. 아빠는 안방에서 자고 있을 것이다. 안방의 문은 언제나 굳게 닫혀 있으니까. 별장에 오고난 후 하루종일 잠만 자고 있었다. 오면 좀 더 나을까 했는데 오히려 악화가 된 것 같다.

"아빠 다녀올게요."

밖을 나서고 자전거를 탔다. 다시 그 동굴까지 걸어가는 것은 무리일 것 같고 이 늦은 시간이면 버스도 없을 것이다. 시골이면 더더욱. 그래서 내린 결론이 창고에 있었던 자전거를 타는 것이었다. 자전거를 타고 가니까 걸어가는 것보다 훨씬 수월했다. 여름이 끝나가는 바람은 먼지 한톨 없이 상쾌한 기분이었다. 여름은 나의 생일이다. 하지만 나의 생일이 끝나가는 기분이라 오히려 슬프기도 했다. 엄마에 대한 생전 기억을 생각하니 15분만에 도착했다. 처음에 올때도 자전거를 탈걸 하며 후회를 했다.

동굴 옆에는 산책로가 있었는데 산책로에 자전거를 세우고 동굴로 다시끔 향했다. 이번에는 두려움 보다는 슬픔이 더 가득했다. 엄마에 대한 이야기를 듣고 놓을 생각이었는데 오히려 놓지 못하게 되면 어쩌지? 엄마가 알고보니 내가 알지 않았으면 하는 이야기들이 있었으면 어쩌지? 내가 지금까지 하고 있는 모든 행동들이 엄마가 알고 있을까? 지금 이 순간에도 내 옆에 있긴 할까? 모든 것이 의문형으로 남아있었다.

"무슨 생각을 그리 깊게 하나?"

"전부터 느낀건데 생긴거랑 다르게 말투가 정말 어려보이시네요"

"아직 51살이야"

생각보다 어리다는 생각을 했다. 인간도 아니고 초월적인 인물이니까 어린이 모습을 하고 100년 이상의 나이를 먹었을거라 생각했으니까. 근데 나이가 우리 엄마랑 똑같네.

"우리 엄마랑 나이가 똑같네요?"

"수지랑 나는 동시에 태어났으니까. 그래서 수지가 내 옆에 있어도 멀쩡 할 수 있는 이유다."

엄마는 내가 생각한 것보다 많이 특별한 사람이었던 것 같다. 그러겠지. 엄마가 아니었으면 나는 좋아하는 거 하나 없이 태어났을 수도 있겠다. 수많은 별빛들이 놓여있었다. 가로등 하나 없이 어두운 풍경 속에 보이지도 않는 푸름이를 쳐다보았다. 푸름이도 나를 보고 있었다. 왜 푸름이는 엄마에 대한 이야기를 하는 것에 대해 거부하는 걸까? 하지만 나는 꼭 들어야 한다. 푸름이쪽을 향해 조용히 허리를 숙였다. 엄마가 원하는 것이 있어도 절대 을이 되지 말라했던 적이 있다. 고개를 숙이는 일은 정말 간절하게 원하는 것이 생기면 그때를 위해 아껴두고 숙일 줄 알아야 한다고 하던 엄마의 말이 떠올랐다. 내게 정말 간절한 건 엄마에 대한 추억 뿐이야. 사람은 죽어도 누군가가 기억해주면 천국 간대잖아.

엄만 꼭 천국 가.

숙인 날 보던 푸름이는 무언가 회상에 빠진 듯 생각하더니 자신의 이야기를 먼저 시작했다. 전에 아이처럼 밝고 까불대는 것 같은 목소리였다면 지금은 무겁고 굵은 목소리로.

마치 아빠가 결혼하는 딸에게 조언을 해주는 것처럼 중압감이 있는 듯한 목소리였다.

“내 존재는 어떤 단어로도 표현할 수 없다.

갑작스레 태어나보니 바닷가 해안가였고 따뜻하고 포근함을 느낀 것도 잠시 숙명처럼 누군가를 기다려야 한다는 생각이 강하게 들었지. 그리고 그 사람은 수지였어.”

***

“너 이름 뭐야~?”

“뭐냐 너? 내가 보이냐?”

“당연하지. 나는 수지야. 너는?”

“나 이름 없어.”

“그래? 그러면 내가 만들어줄까?

"필요없다."
"조만간 만들어줄게 기다려!!"

엄마와 푸름이의 첫 만남은 아주 생소하고도 평범했다.
푸름이는 잔잔한 웃음 지어보이며 엄마의 이야기를 해주었고 난 조용히 그 이야기들을 듣고 있었다. 엄마의 예상외의 성격도 들렸고 엄마답다는 생각이 드는 이야기들도 있었다. 엄마가 돌아가시고 난 후 딱 한번 울었다. 꿈에서 엄마를 마주치고 난 후 였다. 처음에 울지 않아서 나 스스로도 모르게 엄마를 싫어했던 걸까 생각했지만 이야기를 들으면서도 바보같이 눈물이 흘렀다. 사실은 엄마가 별이 된 것을 믿고 싶지 않았다. 그저 잠시 아주 잠시 떠난거라고, 며칠 뒤에 다시 돌아와 나를 꼭 안아줄거라고 믿고 싶었다. 근데 왜 전부 현실이었던 걸까. 엄마의 죽음을 슬퍼하는 이들은 많은데 정작 엄마와의 추억을 많이 지니고 있는 사람이 얼마 없다는 것이 외로웠다. 그런 내게 있어 푸름이는 아주 오래 전부터 알고 지낸 친구 사이 같았다. 푸름이가 이야기 하는 동안 숨죽여 울었다.
나는 그렇게 천천히 엄마의 죽음을 받아들이고 있었다.
인정하기 싫었지만 이제 그 사실을 인정해야만 했다.

엄마는 2년 전에 죽은 것을.

푸름이의 이야기가 끝나고 난 후에는 감사의 말을 전했다.

"엄마의 이야기를 들려줘서 고마워."

"너, 수지가 최근에 죽었다고 했지만 사실은 꽤 오래됐지?"

"응.."

"수지가 죽은 이후 바로 알아챘는데 너는 몇 년이 지나고 나서 소식을 전해준 것이 이상했다. 지 어미의 죽음을 받아들이지 못했던 것 뿐이군."

"엄마가 돌아가신지 2년이나 지나니까 모두가 엄마를 잊기 시작했어요. 그래서 그 가운데에서 버틸 수가 없어서 차마.."

"아빠와 함께 내려온 것도, 모두 거짓말이지?"

푸름이의 눈치는 정말 빨랐다. 그래서 굳이 무슨 말을 하지 않아도 전부 알아차릴 것 같았다. 하지만 이제 슬슬 본론에 들어갈때가 되었다. 일기장을 보고 푸름이를 꼭 만나야 한다고 생각했던 용건.

"엄마의 일기장에 적혀있었어요."

"무엇이 말이냐"

"당신이.. 죽은 사람과 만날 수 있게 해준다고."

엄마의 일기장 마지막에는 자신이 키우던 강아지가 죽어버렸다는 내용과 너무 슬펐다는 내용과 동시에 푸름이가 죽었던 강아지와 만나게 해주었다는 내용.

"사람도 가능하잖아요.."

"내 눈이 왜 앞을 못 보는 지 아냐?"
"선척적인 것이 아니예요..?"
"사람이든, 신이든. 무엇이든 시간을 거스를려면 그에 맞는 대가를 치러야 한다."

푸름이는 순전히 슬퍼하는 엄마를 위해 자신의 눈을 희생한 것이였다. 두려웠다. 나는 내 미래를 포기해야 한다는 것이. 아직도 내가 바이올린을 좋아하고 있는 것이. 하지만 그 모든 것을 감수해낼 정도로 엄마가 너무 소중한 존재로 다가왔다.

"뭐든, 희생할게요."
"그것이 너의 귀일 수도 있고 눈일 수도 있고 하다못해 심장일 수도 있다."

"상관 없어요. 저는 엄마에게 꼭 사과를 해야만 해요."

"수지가 오지 않은지 3년이 되었구나..."

푸름이는 갑자기 자신의 눈을 뜯어냈다. 하지만 에메랄드의 눈이라 생각한 그것은 눈이 아니었다. 깨진 소주병 조각들이 모여 에메랄드처럼 보였던 것 이었다. 초록병의 조각들은 푸름이의 눈을 상처내고 있었다. 나는 그것을 보고 아름답다고 생각한 것이었다. 인간들로 인해 상처받던 푸름이에게... 내가 무슨 짓을 한건지 모르겠다.

"아..."

"어차피 이제 인간들에게 진절머리가 나서 떠나고 싶었다. 마침 수지도 먼저 출발했네."

눈에서 피가 나는 푸름이를 보고 아무말도 할 수가 없었다. 큰소리 쳤지만 너무나도 무서웠다. 엄마가 살아돌아오는 것도 아니고 잠깐 이야기 한 것으로 내 생명이 위험해질 수 있다는 것이 말이 되겠냐고. 누군가가 자신을 위해 희생해주었으면 했지만 그것이 푸름이라기에 더욱 흐느껴 울었다.

"죄송해요... 제가... 제가 할 수 있는 일이 없을까요.."

"그렇다면 날 위한 연주곡 하나를 들려줄 수 있냐"

자신의 목숨을 쉽사리 내어주면서도 원하는 것이 나의 연주곡이라니. 푸름이를 이해할 수가 없었다. 인간들에게 그렇게나 다쳤으면서도 인간들에게 너그로워질 수가 있다니. 아직 인간들과 같은 나이이면서도. 푸름이의 말에 대답하지 못하다가 결국 목 메이는 목소리로 알겠다고 대답했다. 그러자 웃으며 고맙다고 이야기 해주는 푸름이를 보니 숨 쉴 수 없을 것 같이 죄책감이 몰려왔다. 내가 한 말로 인해 엄마가 돌아가셨다. 그리고 그 일을 잊지 못해 하루종일 방에 박혀 사는 나때문에 아빠도 덩달아 힘들어하고 있다. 이모도 지칠텐데도 꾸준히 반찬을 가져다 주신다. 나로 인해 푸름이가 죽을 수도 있다. 만난지 일주일도 되지 않은 나로 인해서. 모두가 나때문에 힘들어하고 있다. 원인은 늘 나인데 내가 살아남는게 맞을까? 차라리 내가 죽는게 더 낫지 않을까.

순간적으로 푸름이가 내 어깨를 토닥여주었다.

"지금껏 일어난 일들 중 어느 하나도 너의 잘못이 아니야."

푸름이의 말을 듣고 나니 눈물이 왈칵 나왔다. 이 모든 것이 내 탓이 아니라면 대체 누구의 탓이라는 거지? 누가봐도 나의 잘못인데 어째서 아무도 내 잘못이라고 하지 않는걸까. 차라리 원망이라도 해주면 받아들이기라도 할텐데. 이도저도 못하는 이 상황이 단지 화가 날 뿐이었다.

"모든 일들이 제가 없으면 일어나지 않았을 일들인데.. 제 탓이 아니라고요? 그게 말이 되는 소리라고 생각하세요? 엄마도, 아빠도, 이모도 모두 저 때문에 힘들어 하고 있다고요!!"

계속 내 탓이 아니라고만 하는 푸름이에게 울컥해져버려서 나도 모르게 푸름에게 화를 냈다.

"그 누구도, 너의 잘못이라 생각한 적 없어. 가족들에게 죽을 만큼 미안하다면 그 감정으로 너를 변화 시켜 제일 행복하게 지내. 그래야 가족들이 더 이상 자신을 자책하는 것을 그만 둘 거야."

"차라리 모두가 저를 원망이라도 해주면 좋겠어요."

"지금 너희 아빠가 누구 탓을 하고 있을 것 같니?"

"당연히 아빠는 자신을 탓하겠죠! 하지만 그건 아빠의 탓이 아니라..!"

고개를 들어 푸름이의 얼굴을 마주하곤 내 앞에 있는 상대가 푸름이가 아닌 것을 알아챘다. 정말, 많이 그리워했던 표정이었다. 희미하게 양쪽 입꼬리가 올라가고 부드럽게 휘어진 눈은 당사자를 제외하고 감히 아무도 흉내 내지 못했다.

"엄마.."

정말 10초. 10초간 푸름이의 모습을 한 엄마를 쳐다봤다. 하고 싶은 말들이 쌓여있었는데 모두 까먹었다. 왜 날 버리고 그렇게 떠나버렸냐고 제일 묻고 싶었다.

"내 딸, 엄마한테 안 올거야?"

"아니야 엄마.."

아무래도 상관이 없었다. 난 어린아이처럼 울먹이며 엄마에게 달려가 안겼다. 푸름이의 몸은 물로 이루어진 인간의 모습이기에 잡히는 것도 없이 나의 옷이 축축해지고 있었다. 그럼에도 불구하고 엄마가 안아주면 늘 볼을 비벼주는 것.어깨를 조여 꽉 안아주는 것들이 느껴지는 것만 같았다. 엄마와 나는 한참 동안 말 없이 서로를 끌어안고 있었다. 포옹하고 있는 것만으로도 엄마와 대화를 하고 있는 것 같았다.

나는 엄마에게 너무 힘들었다고 말하고 엄마는 괜찮아질거야 하며 목소리가 없는 대화를 나누고 있었다.

***

엄마의 점점 몸이 일렁이는 것이 느껴졌다. 푸름이의 몸이 버티지 못하고 있는거겠지. 기껏 만난 엄마와 떨어지고 싶지 않았다. 차라리 이대로 나도 죽어버렸으면-...

"착한 우리딸, 엄마 부탁 좀 들어줄래?"

엄마는 특유의 여유로운 눈꼬리를 지어보이며 말했다. 우리 모녀에게 주어진 시간이 많지 않았다. 여유롭던 엄마의 말 템포가 빨라지고 있는 것이 느껴졌다.

"뭔데..?"
"절대로, 허튼 생각하지 않기.
"그리고 앞으로 이 시간에 갇혀 살지 않기"

살아남은 우리 가족들은 모두 자기 잘못이라 생각하고 자책하며 오랜시간을 갇혀 살고 있다. 내가 해줄 수 있는 건 거창한 것이 아니었다. 그저 웃으며 모두의 탓이 아니라 말해주는 것. 그리고 잊지 말고 희미하게 내가 행복해지는 것. 그것이 나만 할 수 있는 일이었다. 엄마의 부탁에 자신없이 대답하자 엄마는 내 등을 있는 힘껏 때리면서 말했다.

"딸, 전과 다르게 많이 조용해졌네. 푸름이 찾아와준 건 너무

고마워.“

"엄마가 일기장에 자신이 죽으면 푸름이에게는 자녀가 소식을 알려줬으면 좋겠다며. 당연히 들려줘야지."

엄마와 나는 시시콜콜한 이야기를 하며 웃었다. 전에 있었던 일들이 모두 거짓이었던 것처럼. 사실은 긴 꿈을 꾼 것이라고 해도 믿을 법 했다. 눈가가 시릴 정도로 엄마를 계속해 뚫어져라 쳐다봤다. 눈 앞에 있는 푸름이의 모습이 점점 희미해져가고 있었다. 푸름이의 죽음이 고통스럽지 않게 다가오는 듯해 한편으로는 안도감이 들기로 했다.

"푸름이를 만나면 미안하다고 전해줘.. 고맙다는 말과 같이"

엄마는 그 말을 듣고서 통쾌하게 웃어보이곤 다시 작게 미소를 지어 보였다. 이제는 정말 엄마와 이별을 해야 하는 시간이 온거겠지. 하지만 적어도 전처럼 작별조차 없는 것 보단 나았다. 떠나는 사람은 가벼운 마음으로 떠나는 것이 아니겠지만 적어도 엄마가 너무 신경 쓰여하지 않게 웃음을 지었다. 그저 가다가 한번씩만 뒤 돌아 봤으면 했다. 영롱한 보석처럼 빛나고 있었던 푸름이의 모습은 새하얀 눈송이처럼 하늘로 올라갔다. 주변에는 반딧불들이 마중을 나왔고 늘 거칠었던 바다도 오늘만큼은 잠잠하게 푸름이와 엄마를 보내주는 듯 했다. 나는 사라져 가는 엄마의 모습을 지켜보고 엄마는 애써 울음을 참는 내 모습을 지켜보며, 우리 서로가 행복하기를 기원하며 잠시 이별을 하게 되었다.

***

그 일이 있고난 후 나는 한달정도 더 머물다 별장에서 본가로 이동했다. 더 이상 이곳에 있을 필요를 느끼지 못했기 때문이다. 아빠에게 걱정도 그만 끼쳐야 된다 생각하고 있었고, 여러가지 이유였다.

서울로 올라가 아빠에게는 가장 먼저 위로의 포옹을 건넸다. 몇 년동안 대화를 안 했지만 그 공백을 채우기라도 하는듯 한참동안 서로 말없이 안고 있었다.

하지만 누구나가 그렇듯 나는 당장 드라마틱한 결과처럼 지내진 않는다. 웃다가도 이따끔씩  죄책감을 느끼기도 했지만 그것이 내가 살아있다는 증거겠다. 엄마가 말해준 것 처럼 행복하게. 숙제같은 인생을 살기도 하겠지만 시간이 좀 더 흘러 상처가 옅어져, 웃음 지어보이면서 다시 마주하기를.